AFGESCHREVEN
watersportwinkel
D0655335
WATERSPORTWINKEL
Beau Rivage
reclamebureau
superchimpansee
affiche
behangplaksel
regatta

AVI:	E6
Leesmoeilijkheid:	woorden met vijf lettergrepen (interrumperen, varkensvleesproduct)
Thema:	vaarwedstrijd

Zwijsen

Peter Smit

De badkuiprace

met tekeningen van Yolanda Eveleens

Naam: *Dirk van der Plas*

Ik woon met: *mijn vader, mijn moeder en meer dan honderd guppies*

Dit doe ik het liefst: *boeken lezen over ontdekkingsreizen*

Later word ik: *zeebioloog*

In de klas zit ik naast: *Jantine*

1. Een spreekbeurt over regatta's

Dirk staat voor de klas en haalt driemaal diep adem. Daarna kijkt hij langzaam de klas rond. Eerst van links naar rechts, daarna van rechts naar links.
'Harder!' zegt Youri met een lachend gezicht.
'Stil nou,' sist Jantine. 'Hij heeft nog niets gezegd.'
Achter in de klas beginnen een paar leerlingen te grinniken.
'Stil, jongens,' zegt meester Banderanayke. 'Dirk gaat een spreekbeurt houden en dat is al moeilijk genoeg. Dan moeten jullie hem niet interrumperen, dat vind ik niet zo aardig van jullie.'
Lisa steekt haar vinger op. 'Meester, wat betekent "interrumperen"?'
'Dat is een ander woord voor iemand in de rede vallen,' legt meester Banderanayke uit.
'Maar waarom zegt u dan niet gewoon dat wij Dirk niet in de rede moeten vallen?' vraagt Youri.
'Omdat jullie hier zijn om te leren,' antwoordt meester Banderanayke. 'Als ik alleen maar woorden gebruik waarvan jullie de betekenis al kennen, leren jullie niets.'
Dirk schraapt zijn keel en steekt zijn vinger op.
'Meester, kan ik misschien met mijn spreekbeurt beginnen?'

Even later is Dirk druk aan het vertellen. Zijn spreekbeurt gaat over regatta's, wedstrijden voor allerlei soorten boten.

‘Er zijn regatta’s voor roeiers, voor zeilschepen, voor motorboten en voor kano’s,’ vertelt Dirk. ‘Een bekende regatta is *The Boat Race*, dat is een roeiwedstrijd tussen twee beroemde Engelse scholen, de Universiteit van Oxford en de Universiteit van Cambridge. Deze regatta is al bijna tweehonderd jaar oud en wordt elk jaar op de rivier de Theems gehouden. De regatta gaat tussen twee boten, waarin de beste roeiers van elke universiteit zitten. Er komen gemiddeld een half miljoen toeschouwers naar deze regatta kijken en hij wordt in meer dan twintig landen op televisie uitgezonden.
Een bekende regatta in Nederland gaat tussen “skûtsjes”. Een skûtsje is een traditioneel Fries zeilschip, dat vroeger werd gebruikt om vracht te vervoeren. Toen de vrachtwagens en de motorschepen kwamen, waren de skûtsjes niet meer nodig. Maar veel mensen vonden het heel jammer dat deze schepen zouden verdwijnen. Ze knapten de skûtsjes die er nog waren op en gingen ze gebruiken voor vaartochten op het IJsselmeer. En een keer per jaar houden alle schippers die een skûtsje hebben, er een grote wedstrijd mee, waarbij ze heel fanatiek zijn. Ze snijden elkaar af, proberen elkaar tegen de kant te drukken of botsen expres tegen elkaar op, zodat het andere schip uit de koers raakt. In het wedstrijdreglement staat dat als zoiets gebeurt, de schipper een rode zakdoek aan de mast moet knopen. Dat is een teken dat hij na de wedstrijd een protest gaat indienen omdat een andere schipper iets onsportiefs heeft

gedaan. Het komt wel eens voor dat aan het eind van de wedstrijd alle schepen zo'n rode zakdoek aan de mast hebben. In Zuid-Holland is er sinds twintig jaar de Ringvaartregatta, een roeitocht die in Leiden begint en via Haarlem naar Delft gaat. De tocht is precies honderd kilometer lang en alle soorten roeiboten mogen meedoen. Veel van de mensen die meedoen, zijn lid van een roeivereniging, maar je kunt ook gewoon voor je plezier meedoen. De vreemdste regatta's die er op de wereld zijn, worden in Australië gehouden. Daar wordt in de stad Darwin elk jaar een wedstrijd gehouden tussen vaartuigen die van lege bierblikjes zijn gemaakt. Dat is begonnen in 1974, toen de stad door een verschrikkelijke orkaan bijna helemaal werd vernield. Om de mensen te helpen hun stad weer op te bouwen, kwamen uit alle delen van Australië bouwvakkers naar Darwin toe. Nu was Darwin bekend om de bierbrouwerij, en toevallig was dat ook een van de weinige fabrieken die de stormramp hadden overleefd. De bouwvakkers die kwamen helpen kregen gratis bier, maar daardoor ontstond er een probleem met de lege blikjes. De vuilnisophaaldienst had het te druk met puin opruimen en had geen tijd om de blikjes op te halen. Er lagen dus overal lege blikjes, tot iemand op het idee kwam om van de blikjes vlotten te bouwen en met die vlotten een wedstrijd te houden. Iedereen die naar die wedstrijd wilde kijken, moest betalen. En met het geld kon dan weer hout worden gekocht, en dakpannen om de daken van de kapotte huizen mee te repareren.

De eerste Darwin bierblikregatta werd een enorm succes. Maar toen de stad weer was hersteld, besloten de bewoners met de regatta door te gaan. Sinds de stormramp van 1974 wordt er in Darwin elk jaar een regatta gehouden, waaraan steeds meer mensen meedoen en waarnaar elk jaar meer mensen komen kijken. Er wordt niet alleen met vlotten van bierblikjes gevaren, maar er doen ook Vikingschepen en zelfs piratenschepen van bierblikjes mee. De regatta wordt in Australië op tv uitgezonden en er zijn veel sponsors die geld geven om zo mooi mogelijke vaartuigen van bierblikjes te bouwen. De opbrengst van de regatta is nog steeds voor het goede doel. Er worden vakantiereizen voor zieke kinderen van betaald en er wordt ook veel geld gegeven aan andere landen, zoals na de grote overstromingsramp in Indonesië en Thailand. Toch is dit niet de gekste regatta die er in Australië is. De allergekste regatta wordt elk jaar

gehouden in het stadje Henley. Dat stadje ligt midden in de woestijn, aan een riviertje waar alleen in de winter een beetje water in staat. De regatta wordt echter midden in de zomer gehouden.'
'Maar dat kan toch niet,' zegt Youri. 'Dan staat er helemaal geen water in het riviertje!'
'Youri, je moet even stil zijn,' zegt meester Banderanayke.
'Niet interrumperen, Youri,' zegt Jantine. Achter in de klas wordt weer gegrinnikt, maar Dirk let er niet op en gaat door met zijn spreekbeurt.
'De boten die meedoen aan deze regatta hebben een speciale voorziening, zodat je er op een droogstaande rivier toch mee vooruitkomt. In de bodem zijn namelijk gaten gezaagd, waar je benen doorheen passen.
Zo kunnen de deelnemers aan deze regatta in hun boot naar de eindstreep rennen.

Er zijn wedstrijden voor achtpersoonskano's, voor wastobbes, voor houthakkersvlotten en er is een badkuiprace. De regatta bestaat al sinds 1965 en is dus meer dan veertig jaar oud. In al die jaren werd hij maar één keer afgelast. Dat kwam omdat het een dag voor de wedstrijd plotseling begon te regenen, waardoor de rivier vol water liep. Verder wordt de regatta elk jaar gehouden en is al het geld voor goede doelen, bijvoorbeeld voor hartoperaties voor kinderen in arme landen. Dit was mijn spreekbeurt, al heb ik per ongeluk wel een stuk overgeslagen.
Ik ben vergeten om te vertellen dat er in België wel een badkuiprace bestaat, maar in Nederland niet. Dat komt doordat driehonderd jaar geleden een man, die op het eiland Texel woonde, per badkuip naar Den Helder is gevaren. Het was een weddenschap en de man won er honderd gulden mee, wat toen heel veel geld was. Maar het was levensgevaarlijk, want die man kon niet zwemmen en er was geen boot om met hem mee te varen. Omdat veel mensen het een schande vonden dat iemand zulke gevaarlijke dingen uithaalde, werd varen in badkuipen verboden. Dit had ik er nog bij willen vertellen, maar dat ging niet omdat jullie er steeds doorheen zaten te praten.'
Dirk kijkt boos naar de klas.
'Dat deden wij niet,' protesteert Lisa ogenblikkelijk. 'Dat deed Youri!'
'Ik vond het evengoed een knappe spreekbeurt,' zegt meester Banderanayke. 'Ik geef je er een acht voor, Dirk, en die

heb je dik verdiend. Een dikke acht en een vet applaus!'
Als iedereen in zijn handen klapt, kijkt Dirk weer vrolijk.
'Dan is het nu pauze,' zegt meester Banderanayke. 'Vanmiddag is er biologieles over kikkers en padden. We gaan daarvoor naar de grote vijver naast de kinderboerderij, dus zorg ervoor dat je kleren draagt die een beetje vies mogen worden. Tot vanmiddag!'

2. Het plan bij de parkvijver

Die middag is iedereen al vroeg op het schoolplein. Cimberly is er ook, maar ze loopt een beetje moeilijk.
'Hi Cim,' zegt Youri. 'Wat loop je moeilijk, ben je per ongeluk op een egel gestapt?'
'Nee Youri, ik ben niet op een egel gestapt,' zegt Cimberly nijdig. 'Ik heb met turnen een verkeerde afsprong gemaakt en nu heb ik een bandage om mijn enkel. Daarom was ik er vanochtend niet. Maar wat heb je voor kleren aan? Je lijkt wel iemand uit een garage. Doe je soms mee in een toneelstuk over zwervers?'
'We gaan straks naar het stadspark, Cim,' vertelt Lisa. 'We krijgen biologieles over padden en kikkers, dus we moesten oude kleren aantrekken.'
'Bok,' mompelt Cimberly. Ze kijkt eerst naar haar bordeauxrode bloes, die ruches heeft op de mouwen. Daarna bekijkt ze haar hagelwitte broek en haar roodwitte gympen.
'Je ziet er fantastisch uit, Cim,' zegt Lisa.
'Veel beter dan over twee uur,' lacht Youri. Cimberly lacht niet mee en kijkt somber naar haar pas gestreken kleren die er smetteloos uitzien.
'Mijn tante is geslaagd voor haar studie,' zegt ze zacht. 'Ze krijgt vanmiddag haar diploma en mijn moeder komt mij meteen na school ophalen. Ze geeft een receptie in een heel duur hotel, wat moet ik nu doen?'
'Je mag mijn sandalen wel lenen,' biedt Lisa aan. 'Dan loop

ik op blote voeten, want het is toch warm.'
'Dan mag je mijn voetbalshirt wel,' zegt Youri. 'Dat zit nog in mijn sporttas, want ik ben vergeten om het gisteren mee naar huis te nemen.'
'Nu je broek nog,' zegt Lisa. 'Want zo'n superwitte broek hou je echt niet schoon in de kinderboerderij.'
'Mijn voetbalshirt is heel lang,' zegt Youri. 'Het komt waarschijnlijk wel tot aan je knieën.' Youri kijkt op en ziet dat Jantine en Dirk eraan komen. Hij stoot Cimberly aan en wijst in de richting van Dirk.
'Dirk heeft hoge laarzen aan,' zegt hij. 'Als je die mag lenen, kan alleen het stukje broek vlak onder je knieën nog vies worden.'
Nu klaart het gezicht van Cimberly weer een beetje op.

Even later is iedereen er en komt als laatste meester Banderanayke aan lopen.
'Wat zie jij er uit, Cimberly! Ben je in een plas chocolademelk gevallen?'
Iedereen begint te grinniken. Cimberly ziet er inderdaad uiterst merkwaardig uit. Ze heeft haar haren opgestoken en met glimmende glaskralen en glitterspeldjes versierd. Maar het gele voetbalshirt van Youri zit onder de grote moddervlekken en dikke, bruingroene strepen. De laarzen van Dirk zijn ook bruingroen en de neuzen zijn bedekt met korsten ingedroogde rivierklei. Daarbij zijn ze voor Dirk al veel te groot, dus voor Cimberly helemaal.

'Nou hoor, ik moet naar een examenfeestje,' zegt Cimberly. Daar kijkt de meester ontzettend vreemd van op. Youri ziet het en begint te grinniken.
'Haar tante is geslaagd voor de opleiding agrarisch medewerker,' zegt hij. 'U weet wel, meester, wat ze vroeger boer noemden.'
'Is dat zo?' vraagt meester Banderanayke.
Cimberly schudt haar hoofd.
'Youri verzint maar wat,' zegt ze. 'Mijn tante is wel geslaagd, maar ze leerde voor medisch laborante. Ze krijgt vanmiddag haar diploma en daarna geeft ze een receptie in het Parkhotel.'
Meester Banderanayke schudt verbijsterd zijn hoofd.
'En dan ga jij daar straks in deze kleren naar toe?'
Nu begint iedereen ontzettend te lachen.
'Nee meester, Cimberly ziet er juist veel te netjes uit! Daarom heeft ze het voetbalshirt van Youri en de kaplaarzen van Dirk aangetrokken, zodat haar echte kleren niet vies worden!' zegt Lisa.
Meester Banderanayke knikt een zucht een keer heel diep.
'Nou, ik hoop dat ze ons zo in de kinderboerderij toelaten,' mompelt hij. 'Zoiets als dit heb ik nog niet eerder meegemaakt.'

De baas van de kinderboerderij kijkt inderdaad even heel vreemd, maar hij zegt niets. Wel wijst hij een beetje nijdig in de richting van Youri.

'Als ik mij niet grotelijks vergis, zie ik een bekend gezicht,' zegt hij geïrriteerd. 'Jij was hier eergisteren ook, klopt dat?'
Youri knikt en doet voorzichtig een stapje achteruit.
'Toen heeft iemand met een blauwpaarse viltstift *ik ben een vetzak* op de rug van het varken geschreven en volgens mij was jij dat.'
Youri doet nog een stapje achteruit.
'Nou?' vraagt de baas van de kinderboerderij, 'krijg ik nog antwoord?'
'Het was ... het was een weddenschap, meneer,' stottert Youri. 'Ik had er meteen al spijt van en zal het niet meer doen, echt niet.'
De baas kijkt nog even boos naar Youri en zegt: 'Nou, dat zal ik dan maar geloven.'
Daarna kijkt hij naar meester Banderanayke.
'U komt voor de kikkers en padden? Dan komt u mooi op tijd, want de dikkopjes zijn in kikkers aan het veranderen. In de groene schuur staan de kweekbakken, maar let u erop dat de kinderen geen brood in de bakken gooien. Het is goed bedoeld, maar kikkers lusten dat echt niet.'
Meester Banderanayke knikt en zodra de eigenaar van de kinderboerderij weg is, kijkt hij naar Youri.
'Nou, we staan er weer mooi op, Youri. Met jou erbij komen we waarschijnlijk nog wel eens op televisie, in het programma Opsporing Verzocht.'
Jantine kijkt ook verontwaardigd naar Youri.
'Ik vind jou helemaal niet leuk meer, Youri,' zegt ze. 'Ik heb

nooit achter je gezocht dat jij zo'n afschuwelijke dierenbeul bent.'
Nu wordt Youri opeens ook boos.
'Ik ben helemaal geen dierenbeul,' roept hij. 'Het varken voelde er niets van en hij vond het beslist niet erg!'
'O ja,' gilt Jantine. 'Hoe weet jij dat, vervelende praatjesmaker?'
'Ten eerste kunnen varkens absoluut niet lezen,' schreeuwt Youri terug. 'En ten tweede: als hij wél kon lezen, dan kon hij het nog steeds niet zien, want het stond namelijk op zijn rug!'
'Jongens, ophouden,' zegt meester Banderanayke. 'We gaan eerst naar de kikkers en de padden kijken. Ik ga daar van alles over vertellen en als jullie goed luisteren, mogen jullie nog een halfuurtje naar de kinderboerderij en de speeltuin naast de vijver. Maar als jullie er een bende van maken, gaan we terug naar school, is dat afgesproken?'

'Padden en kikkers zijn allebei amfibisch,' vertelt de meester. 'Dat betekent dat ze zowel op het land als in het water kunnen leven. Een kikker legt zijn eitjes in het water, maar een pad doet dat juist niet. Die kruipt in een vochtig stuk grond en legt daar zijn eitjes. Als padjes uit het ei komen, zijn het al echt kleine padjes. Maar kikkers maken eerst nog een paar veranderingen door. Ze beginnen als kikkerdril en daarna worden het dikkopjes, dus een grote, dikke kop met een staartje eraan.'

'Bok,' zegt Youri.
'Wat bedoel je?' vraagt meester Banderanayke.
'Dan had ik dus beter *ik ben een dikkopje* op het varken kunnen schrijven, meester,' antwoordt Youri.
Iedereen begint te grinniken, op Jantine na.
'Youri is toch gewoon een dierenbeul, meester,' zegt ze.
'Waarom lachen jullie dan om hem?'
Meester Banderanayke schudt zijn hoofd.
'Youri is geen dierenbeul. Hij is misschien een kruising tussen een plaaggeest en een grappenmaker, maar hij doet dieren geen pijn.'
'Maar als het varken de hele dag wordt uitgelachen, dan is dat toch niet leuk,' zegt Jantine.
'Dat is voor jou niet leuk,' zegt de meester, 'maar voor het varken maakt het misschien helemaal niets uit.'
'Maar dan is Youri toch een mensenbeul?' gaat Jantine door.
'Ja,' zegt Dirk, 'hij zat vanochtend ook telkens door mijn spreekbeurt heen te praten.'
'Een mensenbeul is iemand die mensen die een misdaad hebben gepleegd, ophangt of doodschiet,' zegt meester Banderanayke. 'Vinden jullie dat Youri dat is?'
Dirk en Jantine kijken elkaar aan.
'Nou, nee,' mompelen ze tegelijkertijd.
'Goed,' zegt meester Banderanayke en hij klapt in zijn handen.
'Jullie hebben allemaal goed opgelet, dus jullie mogen tot

half vier spelen en rondkijken. Veel plezier, en pas op dat jullie niet in het water vallen.'

De meeste kinderen gaan eerst naar de kinderboerderij, maar Youri rent meteen naar de speeltuin naast de parkvijver. Pas als hij daar is, begrijpen de anderen waarom: in de speeltuin is een nieuwe kabelbaan gemaakt, die lekker hoog is en een lengte heeft van wel honderd meter.
'Ik ben Spiderman,' brult Youri als hij als eerste langs de kabel naar beneden slingert, 'ten aanval!'
Dirk kijkt even naar de parelhoenders, de ganzen, het hangbuikzwijntje en de dwerggeitjes. Dan draait hij zich om en rent zo hard hij kan naar Youri toe. Lisa en Cimberly komen achter hem aan.
'Ik ben de superchimpansee,' brult Youri. 'Deze kabelbaan is waanzinnig, man, echt fantastisch!'
Even later suizen Youri en Dirk samen langs de kabelbaan en schreeuwen dat zij twee superchimpansees zijn. Daarna zijn Lisa en Cimberly aan de beurt.
'Ik ben de chef van de superchimpansees!' roept Lisa als ze met een reuzenvaart naar het eind van de kabel zweeft.
'En ik ben de superchef van de superchimpansees,' roept Cimberly.
Het duurt niet lang of bijna alle kinderen van de klas staan bij de kabelbaan op hun beurt te wachten.
'Hij is echt gloednieuw,' zegt Dirk tegen Youri. 'Hoe wist je eigenlijk dat hij er was?'

'Mijn vader heeft gisteren de kabel gebracht,' zegt Youri. 'Mijn vader is vrachtwagenchauffeur. Vorige week zijn de palen ingegraven en gisteren is de kabel gespannen. Morgen komt het in de krant, met een foto waar mijn vader ook op staat. Deze kabelbaan is een cadeau van iemand die de hoofdprijs in de giroloterij heeft gewonnen en het is de langste kabelbaan van Nederland.'
'Dan wordt onze stad misschien wel beroemd,' zegt Cimberly.
'Maar dan zijn wij misschien wel de eersten die erop roetsjen,' zegt Lisa.
Youri schudt zijn hoofd.
'Mijn vader was de allereerste,' zegt hij. 'Hij heeft de kabel gebracht en mocht het eerst een testrit maken.'
'Zijn er al andere kinderen op geweest?' vraagt Lisa.
'Ik denk het niet,' antwoordt Youri. 'Bijna niemand weet het nog en de andere scholen in deze buurt zijn nog niet uit. Ik denk dat wij de eerste kinderen zijn, en dan ben ik natuurlijk de allereerste, want jullie kwamen na mij.'
Youri glundert en kijkt trots om zich heen.
'Die kabelbaan is echt een heel gaaf ding,' zegt Dirk. 'Wie heeft hem eigenlijk gegeven, weet je dat?'
'Het is iemand uit de Beaufortstraat,' zegt Youri. 'Maar wie het is, weet ik niet, want hij wil niet dat zijn naam in de krant komt.'
Cimberly kijkt naar het mini-eilandje in het midden van de stadsvijver: 'Als ze de kabelbaan naar dat eilandje had-

den gemaakt, dan konden we over het water zwieren. Dat zou pas echt een superstunt zijn.'

'Als wij eens met zijn allen voor een kabelbaan gaan sparen?' stelt Lisa voor. 'Dan kopen wij een nog langere kabelbaan, waarmee je over het water kunt.'

'Zo'n kabel is echt peperduur,' zegt Youri. 'Zoveel geld hebben wij niet, al keren we allemaal onze spaarpotten om.'

'Maar dat kunnen we toch verdienen?' houdt Lisa vol. 'We moeten gewoon iets bedenken waarmee we aan een heleboel geld kunnen komen!'

'Dat is makkelijker gezegd dan gedaan,' zegt Youri.

Even is het stil.

Dan zegt iedereen in koor: 'We gaan een badkuipregatta organiseren!'

3. Het plan wordt gemaakt

'Heb je foto's van die Australische regatta?' vraagt Youri aan Dirk.
'Ik heb er een paar uitgeprint,' zegt Dirk. 'Ik wilde ze eigenlijk tijdens mijn spreekbeurt laten zien, maar dat vergat ik omdat iemand er telkens doorheen praatte.'
'Kun je die foto's laten zien?' vraagt Lisa.
'Ik denk dat ze nog op het bureau van meester Banderanayke liggen,' antwoordt Dirk. 'Daar heb ik ze gisteren neergelegd, zodat ik er tijdens het vertellen naar kon kijken.'
Youri, Dirk, Lisa en Cimberly kijken naar de kinderboerderij. Meester Banderanayke staat naast Jantine en wijst naar een paar broedende ganzen.
'Hij vertelt zeker hoe zijn grootmoeder Indonesische ganzensoep maakte,' grinnikt Youri.
'Echt niet,' zegt Lisa. 'Jantine is vet heftig als het om dieren gaat. Ze is lid van de dierenbescherming en eet alleen vegetarische dingen.'
'Ik maakte alleen maar een grapje,' zegt Youri.
'Je moet later schrijver van moppenboeken worden,' zegt Dirk. 'Dan word je vast en zeker multimiljonair.'
'Maar hoe gaan we die badkuipregatta dan organiseren?' vraagt Cimberly. Ze kijkt op haar horloge. 'Help!' roept ze geschrokken. 'Het is al bijna tijd en mijn moeder haalt mij van school op om naar het examenfeestje van mijn tante te gaan! Ze weet helemaal niet dat ik hier in het park ben!'

'Kun je haar niet bellen met je mobieltje?' vraagt Dirk.
'Ik mag geen mobieltje meer,' zegt Cimberly. 'Mijn vader heeft ergens gelezen dat het slecht is voor je geheugen. Hij heeft mijn rekenmachine ook afgepakt, ik moet leren alles uit mijn hoofd te doen.'
'Loop dan snel naar meester Banderanayke,' stelt Youri voor. 'Hij heeft een mobieltje en je mag vast je moeder wel even bellen.'
Cimberly schudt met haar hoofd en kijkt panisch om zich heen.
'Ik weet het nummer van mijn moeder niet,' zegt ze wanhopig.
'Ze staat vast al bij school te wachten, wat moet ik doen?'
Gelukkig krijgt Dirk plotseling een idee.
'Jantine is op de fiets,' zegt hij snel. 'Ze moet straks naar de manege om de paarden te verzorgen. Misschien kun je bij haar op de bagagedrager?'
'Ik ga het meteen vragen,' zegt Cimberly en ze rent zo snel ze kan naar de kinderboerderij terug.
'Ze vergeet helemaal dat ze een vies voetbalshirt en veel te grote laarzen draagt,' grinnikt Youri. 'Haar moeder zal wel opkijken!'
Dirk en Lisa grinniken mee.
'Heb je die foto's van de bierblikregatta eigenlijk van het internet gehaald?' vraagt Youri even later aan Dirk. 'Want dan kunnen we ze ook bij mij thuis bekijken.'
Dirk knikt en zegt dat hij dat een goed idee vindt.

‘Zullen we dan straks naar mijn huis gaan?’ stelt Youri voor. ‘Dan gaan we die foto’s opzoeken en maken we meteen een plan.’
Lisa wijst naar een man in een ribfluwelen pak die over het pasgemaaide gras aan komt lopen.
‘Dat is de opzichter van het stadspark,’ zegt ze. ‘Zullen we hem vragen of we de parkvijver mogen gebruiken voor onze badkuipregatta?’

De opzichter van het park vindt het meteen een goed plan. ‘Het gemeentebestuur wil dat er meer mensen naar het park komen,’ zegt hij. ‘En met leuke evenementen als dit gaat dat vast en zeker lukken. Maar jullie moeten je wel aan een paar regels houden. Er mogen geen motorboten meedoen en alle rommel moet na afloop door jullie worden opgeruimd. En jullie moeten twee weken van tevoren komen zeggen op welke datum jullie de badkuipwedstrijd precies willen houden. Anders is er misschien iemand anders die hier op dezelfde dag ook iets wil organiseren en dan komt er ruzie, kan ik dat met jullie afspreken?’
Youri, Dirk en Lisa knikken en kijken opgetogen. Als de opzichter verder loopt, zegt Dirk: ‘Zullen we dan naar jouw huis gaan, Youri? Dan bekijken we de foto’s van de regatta en maken vervolgens een plan.’
‘Kunnen we dat plan niet beter een andere keer maken?’ oppert Lisa. ‘Dan is Cimberly er ook bij, het is ook een beetje haar idee.’

Een dag later zitten Dirk, Lisa, Youri en Cimberly om de tafel in het huis van Youri. Jantine is er ook, want die was door Cimberly gevraagd. Dirk heeft foto's van de Australische bierblikregatta bij zich en laat ze aan de anderen zien.
'Vet komisch,' giechelt Lisa als ze de foto's bekijkt.
'We moeten deze foto's afdrukken en ze overal op bomen, bushuisjes en lantaarnpalen plakken,' stelt Cimberly voor.
'Dat doet mijn neef ook. Die organiseert dansfeesten en daar maakt hij reclame voor door overal in de stad vet leuke affiches op te plakken. Ik heb hem gisteren op de receptie gesproken en hij zei dat het heel goed werkte. Er komen soms wel vijfhonderd bezoekers op af, die allemaal tien euro betalen om naar binnen te mogen.'
'Kan je neef ons niet helpen met organiseren?' vraagt Jantine.
'Ik denk niet dat hij dat doet,' zegt Cimberly. 'Volgens mijn moeder is hij vet arrogant geworden. Hij liep gisteren op het feest rond alsof hij de burgemeester was en zei tegen iedereen dat hij het niveau te laag vond.'
'Wat vond je moeder gisteren eigenlijk van je kleren?' vraagt Lisa. 'Vond ze je bemodderde kaplaarzen niet heel charmant?'
Cimberly begint hard te lachen.
'Ze schrok zich wild toen ze me zag,' vertelt ze. 'Ze dacht dat ik met mijn nette kleren in het water was gevallen en dat ik voor nood een voetbalshirt en laarzen van iemand te leen had gekregen. Ik heb een hele tijd net gedaan alsof dat

klopte. Pas toen we bij het feest kwamen, heb ik het vieze shirt en de laarzen uitgetrokken. Je had haar gezicht moeten zien, het leek wel een film!'

Als iedereen is uitgelachen, zegt Dirk dat er eerst een wedstrijdreglement moet komen.
'Zullen we hetzelfde doen als op deze wedstrijdfoto's staat?' stelt Youri voor.
Dat vindt Dirk geen goed idee.
'Als je van bierblikjes een boot wilt maken, moet je lang van tevoren beginnen met blikjes sparen,' zegt hij. 'Het is nu al de laatste dag van mei, dus als we de regatta nog voor de zomervakantie willen houden, hebben we niet veel tijd meer. Ik denk dat we het beste iets met afgedankte badkuipen of zelfgemaakte vlotten kunnen organiseren.'
'Met een luchtbed of een plastic opblaasbadje blijf je ook drijven,' zegt Jantine. 'En zo'n opblaasbadje heeft bijna iedereen, dus dan kan ook iedereen meedoen.'
'Een badkuip heeft toch ook iedereen!' zegt Cimberly.
'Wij niet,' zeggen Dirk en Youri tegelijkertijd.
'Wij wel,' zegt Lisa. 'Maar ik denk niet dat mijn ouders het goed zullen vinden dat ik hem losschroef en naar het park sleep om er een wedstrijdje mee te gaan varen.'
'Dan houden we toch gewoon een wedstrijd met alles wat drijft,' zegt Youri. 'Dat is eigenlijk net zo makkelijk.'
'Dat kan niet,' zegt Dirk. 'Want een kano drijft ook, maar met een kano win je zo'n regatta op je sloffen en dan is

meteen alle spanning eraf.'
De vader van Youri komt de kamer binnen.
'Hebben jullie trek in een broodje?' vraagt hij. 'Er is geitenkaas, eiersalade en fricandeau, wat willen jullie?'
'Is de salade van biologische eieren?' vraagt Jantine.
'Weet ik niet,' zegt de vader van Youri. 'Ik neem altijd een paar bakjes eiersalade mee uit Frankrijk, omdat de kippen daar los in de wei kunnen lopen.'
'Dan wil ik graag eiersalade,' zegt Jantine.
'Lopen de koeien daar ook los in het weiland?' vraagt Youri plagend. 'Dan neem ik fricandeau.'
'Fricandeau wordt niet van koeien gemaakt, Youri,' zegt Jantine. 'Fricandeau is namelijk een varkensvleesproduct, het is maar dat je het weet.'
Youri weet daar even geen antwoord op te geven. Hij zegt niets, maar zijn ogen schieten heen en weer, ten teken dat hij iets aan het bedenken is.
'Het is speciale vegetarische fricandeau,' zegt hij opeens. 'En die wordt namelijk wél van koeien gemaakt.'
Hier moet iedereen om lachen, zelfs Jantine.

Terwijl ze broodjes eten, gaat de vergadering verder.
'Zullen we aan de toeschouwers geld vragen, of aan de mensen die aan de wedstrijd meedoen?' vraagt Lisa.
'Laten we het aan allebei vragen,' zegt Youri. 'Dan hebben we meer inkomsten.'
'We vragen aan de toeschouwers één euro per persoon en

aan de deelnemers twee euro,' zegt Cimberly. 'En dan krijgen de winnaars van de wedstrijd elk een geldprijs. Als er vijftig deelnemers zijn, verdien je honderd euro. Dan geef je wie derde wordt tien euro, wie tweede wordt vijftien euro en wie eerste wordt vijfentwintig euro. Zo hebben we drie grote geldprijzen, terwijl we toch nog vijftig euro zelf mogen houden.'
'Is dat eigenlijk wel eerlijk?' vraagt Jantine.
'Ja, mijn neef doet dat ook altijd zo,' zegt Cimberly. 'Hij houdt wedstrijden voor paaldanseressen en die moeten betalen om te mogen meedoen. Maar als je de wedstrijd wint, krijg je een heleboel geld.'

'En zullen we de wedstrijd voor of na de zomervakantie houden?' vraagt Lisa.
'Ervoor natuurlijk,' zegt iedereen tegelijk.

4. Affiches plakken

De volgende middag laat Dirk het affiche zien dat hij samen met zijn moeder heeft gemaakt.

Op de poster staat ook een grote kleurenfoto van de Australische bierblikregatta.

'Vet gaaf,' zegt Cimberly. 'Je moeder is echt goed, ze moet op een reclamebureau gaan werken."
'Ze heeft haar eigen reclamebureau,' antwoordt Dirk. 'Ze werkt veel voor Greenpeace en voor allerlei vakantieparken.'
'Wat moeten we nu verder doen?' vraagt Youri.
'We moeten dit affiche overal ophangen,' zegt Dirk. 'En we moeten er ook een naar de krant brengen, en afwachten of een journalist hier misschien een stukje over schrijft. Dan hebben we gratis reclame en hoe meer mensen van de regatta weten, hoe beter het is.'
'Maar wie gaat dat dan doen?' vraagt Jantine. 'We moeten ook nog een vlot bouwen en het is al juni, we hebben nog maar drie weken tijd.'
'Nou, meteen beginnen dus,' zegt Dirk. 'Als jullie de affiches goedkeuren, druk ik er straks honderd af en kunnen we meteen met het ophangen ervan beginnen. En dan gaan we daarna verder vergaderen over met wat voor soort houtvlot of opblaasboot we gaan varen. Wat denken jullie?'
'Ik vind het affiche ook vet gaaf,' zegt Lisa.
Youri is het helemaal met haar eens: 'Zodra ik het zag, wilde ik meteen meedoen,' zegt hij.
'Als iedereen dat heeft, zal je moeder het extra druk krijgen, Dirk,' zegt Lisa. 'Dan staat haar telefoontje straks aan één stuk door te rinkelen.'
Dirk begint te grinniken en kijkt trots.
'Ik ga meteen naar huis om de affiches te printen,' zegt hij.

'Gaan jullie mee of zullen we ergens afspreken?'
'Hoe lang duurt het voor de affiches uitgeprint zijn?' vraagt Lisa.
'Ik denk ongeveer een half uur,' zegt Dirk. 'Mijn moeder heeft een heel snelle printer.'
'Waar hangen we ze eigenlijk mee op?' vraagt Jantine. 'Gebruiken we plakband of doen we het met punaises?'
Cimberly schudt haar hoofd.
'Dat laat veel te makkelijk los,' zegt ze. 'Je moet van dat spul hebben waarmee mensen behang aan de muur plakken. Dat gebruikt mijn neef ook en zijn affiches hangen er maanden later nog steeds, terwijl de meeste andere affiches dan al lang weg zijn.'
'Mijn vader heeft vorige week de kamer behangen,' zegt Lisa. 'Zal ik even naar huis gaan en vragen of hij behangplaksel over heeft?'
'Zal ik dan dit affiche vast naar het kantoor van de stadskrant brengen?' stelt Youri voor.
'Prima, dan gaan Cim en ik naar het park om te kijken waar we de wedstrijd het best kunnen beginnen,' zegt Jantine. 'En dan tekenen we meteen een plattegrondje van de vijver, dat is handig.'
Dirk knikt en rolt voorzichtig het affiche op.
'Goed, zullen we dan over een half uur bij mij thuis afspreken? Dan verdelen we de affiches en gaan we ze meteen opplakken.'
'We plakken alle ramen van de hele stad dicht,' grinnikt

Youri.
'Zodat iedereen die hier woont, straks alleen nog onze affiches ziet.'

Een half uur later is iedereen bij Dirk in de achtertuin. Terwijl Dirk de affiches in vijf stapeltjes van elk twintig stuks verdeelt, schenkt zijn moeder bekers chocolademelk in.
'Is alles gelukt?' vraagt Dirk als hij klaar is.
'Ik heb een grote emmer behangplaksel en twee kwasten meegenomen,' zegt Lisa. 'We hebben alleen nog meer emmertjes nodig, zodat we het plaksel kunnen verdelen.'
'We kunnen het best in groepjes van twee gaan plakken,' zegt Jantine. 'Dan houdt de een de affiches vast en de ander de kwast en de emmer.'
'Maar dan is er nog een over en die heeft dan niks te doen,' zegt Dirk. 'Want we zijn met zijn vijven!'
'Toch wel, want er moet ook nog iemand langs de winkels en de bibliotheken,' zegt de moeder van Dirk. 'Sommige winkels willen de affiches vast wel in de etalage hangen en in elke bibliotheek is een prikbord waar je reclame voor dit soort evenementen mag maken.'
'Zal ik dat dan doen?' stelt Youri voor.
Iedereen knikt instemmend.
'Goed,' zegt Youri lachend, 'dan zijn jullie de plakkers en dan ben ik chef-publiciteit.'
De moeder van Dirk moet daar hard om lachen, maar de anderen kijken een beetje zuur.

‘Ik dacht al, Youri heeft de hele dag nog niemand in de maling genomen, hij zal toch niet ziek zijn,’ moppert Dirk.
Dirk en Lisa nemen een stapel van veertig affiches mee, Jantine en Cimberly ook en Youri krijgt de overige twintig.
‘Tot straks, plakkers!’ roept hij als hij op zijn fiets stapt.
‘Tot straks, chef!’ grinnikt de moeder van Dirk.

5. Op het politiebureau

Cimberly en Jantine zijn als eersten terug in de achtertuin. Vlak na hen komt Youri aan fietsen. Hij heeft een rode kleur van opwinding en begint al met praten voor hij van zijn fiets is gestapt, zodat hij bijna languit op de grond valt. 'Ik heb goed nieuws, man! Watersportwinkel Beau Rivage wil ons sponsoren! We krijgen voor alle deelnemers een wedstrijdshirt, en ook nog honderd euro voor de onkosten. In ruil daarvoor zouden zij een marktkraampje willen neerzetten om zonnebrandcrème, sportdrankjes en vitaminerepen te verkopen.'
'Wat goed!' roepen Cimberly en Jantine in koor. 'Het wordt echt een groot succes, Youri, iedereen vindt ons affiche ook heel mooi,' zegt Cimberly opgetogen.
'Terwijl we aan het plakken waren, hebben al vier of vijf mensen gezegd dat ze komen kijken,' zegt Jantine.
'Als dat zo doorgaat, kunnen we straks een kabelbaan kopen die tot vlak voor de dierentuin komt,' zegt Youri opgewonden. 'Dan stappen we in het park op en zoeven we in één keer door naar de leeuwen en de chimpansees.'
'Of we kopen een kabelbaan die helemaal tot de Efteling komt,' roept Cimberly met overslaande stem van opwinding. 'Kunnen we vanaf de kabelbaan zó in de achtbaan stappen!'
'Maar dan maken we hem tot aan de Pandadroom,' zegt Jantine, 'en als je dan zo nodig naar die stomme achtbaan

wilt, ga je dat stukje maar lopen.'

'Wat blijven Dirk en Lisa lang weg,' zegt Jantine even later. Op hetzelfde moment gaat binnen de telefoon en een paar seconden later komt de moeder van Dirk naar buiten: 'Dirk en Lisa zitten op het politiebureau,' zegt ze boos. 'Wat kinderachtig zeg, je gaat toch geen kinderen arresteren omdat ze affiches plakken? Ze hadden natuurlijk geen vergunning! Dit is weer typisch iets voor deze tijd, overal boetes en bekeuringen voor geven. Gaan jullie mee, ze zijn op het bureau in de Chasséstraat, dat is hier vlakbij.'

Even later staan Youri, Jantine en Cimberly bij de balie van het politiebureau. De moeder van Dirk zegt tegen een agent dat ze het geen stijl vindt om kinderen voor zoiets onschuldigs mee naar het bureau te nemen en dat ze een klacht wil indienen.
'Ze zijn niet meegenomen omdat ze affiches plakten,' zegt de agent. 'Er is op de rotonde bij de Mirabeaustraat een ongeluk gebeurd en zij hebben het gezien. We hebben ze meegenomen om te vertellen wat er precies gebeurd is en omdat ze nogal geschrokken waren. Ze stonden allebei te trillen op hun benen.'
'Maar wat is er dan precies gebeurd?' vraagt de moeder van Dirk geschrokken.
'Er is een vrachtwagen met glasplaten boven op een tankwagen van de melkfabriek gereden. Dat gaf een gigantische

klap en daarna stroomde alle melk uit de tankwagen. Uw zoon en het meisje stonden net een affiche op te plakken en kregen een hele golf melk over zich heen. Kijk, daar komen ze net onder de douche vandaan.'
Op het moment dat de agent het vertelt, lopen Dirk en Lisa het kantoor in. Ze zien allebei heel wit en dragen kleren die eigenlijk veel te groot voor hen zijn. Dirks moeder loopt meteen naar ze toe en slaat haar armen om hen heen. Lisa en Dirk moeten even huilen van alle spanning, maar drogen al snel daarna hun tranen.
'Ik dacht dat de wereld verging,' stamelt Dirk. 'Het was een keiharde knal, toen allemaal gerinkel en meteen daarna kregen we een golf melk over ons heen. Alle affiches zijn weg en de lijmpot en de kwast ook.'
'Dirk kon mij gelukkig nog net vastgrijpen,' zegt Lisa met trillende stem. 'Anders was ik door de melkgolf meegesleurd en de vijver in gespoeld.'
De agent geeft de moeder van Dirk een plastic tas. 'Hier zijn hun natte kleren mevrouw, we ...'
De agent maakt zijn zin niet af. Het mobieltje van de moeder van Dirk begint luid te rinkelen.
Dirks moeder neemt op en geeft haar mobieltje even later aan Dirk.
'Ik denk dat het voor jou is,' zegt ze.
'Er zitten melkspetters op je schoenen,' zegt Jantine, maar Dirk hoort het niet. Zijn gezicht, dat zonet nog bleek en angstig was, wordt langzaam vrolijk en krijgt weer een

BADKUIPRACE!
BADKUIPRACE!
BADKUIPRACE!
BADKUIPRACE!
BADKUIPRACE!

beetje kleur.
'We organiseren het met zijn vijven,' zegt hij. 'Zullen we met zijn allen komen?'
Daarna zegt Dirk: 'Afgesproken, dan zien we u morgenmiddag.' Hij geeft het mobieltje terug aan zijn moeder.
'Jongens, we komen in de krant,' zegt hij glunderend. 'Een medewerker van het Stadsblad heeft onze affiches gezien en gaat een stuk over onze badkuiprace schrijven. We moeten morgenmiddag om vier uur bij de kabelbaan in het park zijn. Dan gaat hij ons een aantal vragen stellen en komen we met zijn allen op de foto.' Eén moment kun je een speld horen vallen, maar daarna begint iedereen te juichen.
'Wat zullen de anderen in de klas opkijken! Zelfs Edmée, die in de klas altijd zo rustig is, zal van haar stoel vallen van verbazing als ze dit leest,' grinnikt Cimberly.
'En ik heb ook nieuws,' zegt Youri. 'Ik was bij de watersportwinkel en die willen onze wedstrijd graag sponsoren. We krijgen shirtjes en geld als zij reclame voor hun winkel mogen maken.'
De agent wil ook iets zeggen, maar omdat de telefoon van het bureau gaat, moet hij die eerst opnemen.
'Ja, daar is inderdaad een ongeluk gebeurd,' zegt hij. 'Het is een flinke ravage en er is een paar duizend liter melk in de vijver gestroomd, maar er zijn geen gewonden.'
'Dat gaat over ons,' fluistert Lisa tegen Dirk.
'Nee, er zijn geen kinderen door de melkstroom het riool in gesleurd en spoorloos verdwenen,' zegt de agent.

Lisa en Dirk kijken elkaar verbaasd aan.
'Nou mevrouw, die kinderen staan gewoon hier en ze mankeren niets. Ze zijn alleen flink geschrokken en ze hebben een nat pak. Ik weet niet hoe u erbij komt dat er een hele groep kinderen is weggespoeld, maar daar is ons niets van bekend.'
De agent zet de telefoon terug in de houder en schudt afkeurend met zijn hoofd.
'Dat was iemand van de regionale televisie,' legt hij uit. 'Die had van iemand gehoord dat er hier een vloedgolf van melk door de straten is gespoeld en dat er verschillende kinderen spoorloos zijn verdwenen.'
Youri begint te grinniken.
'Je kunt erom lachen,' zegt de agent. 'Maar voor ons is het vaak een heleboel werk voor niets. Vorig jaar hebben we drie dagen lang naar een ontsnapte wurgslang lopen zoeken, tot iemand zei dat hij het verzonnen had om in de krant te komen.'
De telefoon van Dirks moeder begint opnieuw te rinkelen. Dit keer is het iemand die zich wil inschrijven voor de badkuiprace. Dirk krijgt een pen en blocnote van de politieman en schrijft de naam en het adres op.
'Is die race alleen voor kinderen of mogen volwassenen ook meedoen?' vraagt de agent.
'In het reglement staat dat iedereen mag meedoen,' antwoordt Dirk.
'Dan moet je straks even terugkomen met een affiche,' zegt

de agent. 'Ik denk dat er hier wel een paar zijn die aan jullie wedstrijd willen meedoen. Als een van jullie straks een affiche komt brengen, zorg ik ervoor dat er een mooi plekje op het prikbord vrij is.'
'Yes!' roepen Cimberly en Youri tegen elkaar. Dirk, Lisa en Jantine kijken elkaar opgetogen aan.
'Het wordt echt megagigantisch,' zegt Cimberly. 'Ik voel het gewoon!'
'Ik geneer me nu wel een beetje dat ik in het begin zo nors tegen u was,' zegt de moeder van Dirk. 'Sorry agent, dat had ik niet moeten doen.'
'Het is al goed mevrouw, en veel succes met de wedstrijd,' zegt de agent.

6. Het idee van Jantine

De volgende middag komen de vijf vrienden om kwart voor vier in het park bij elkaar.
'We hebben al vijftien deelnemers,' zegt Dirk trots. 'De een na de ander belt op om zich aan te melden. Die affiches werken fantastisch, onze regatta wordt echt top.'
'Moeten we straks vragen beantwoorden?' vraagt Cimberly.
'Ik denk het,' zegt Dirk. 'Er komt in elk geval een fotograaf, die een foto van ons gaat maken. Kijk, daar komt al iemand.'
Over het pad komt een man dichterbij die een camera om zijn nek draagt.
'De journalist komt er zo aan,' zegt hij. 'Ik maak alvast een paar foto's van jullie. Wordt de badkuiprace in deze vijver gehouden?'

'De start is daar,' vertelt Dirk, terwijl hij naar een grasveldje vol boterbloemen wijst. 'Vervolgens varen de deelnemers om het eilandje daarginds heen en dan komen ze daar bij de finish, tussen die twee grote treurwilgen.'
Dirk laat het plattegrondje zien dat Cimberly en Jantine een dag eerder hebben gemaakt.
'Dan wil ik graag een foto van jullie maken bij de startplek en een bij de finish,' zegt de fotograaf. 'Dan kan de eindredacteur van de krant kiezen welke foto hij bij het artikel wil gebruiken, is dat goed?'

Terwijl de fotograaf een serie foto's neemt, komt over het pad een mevrouw aan fietsen. Ze zet haar fiets tegen een van de treurwilgen en loopt vervolgens naar de fotograaf. 'Ben je bijna klaar, Beau?' vraagt ze.
'Ik maak nog een paar extra foto's voor de zekerheid,' antwoordt de fotograaf. 'Nog één minuutje, dan kun jij je vragen afvuren.'

Als de fotograaf wegloopt, begint de mevrouw vragen te stellen. Ze vraagt eerst hoe iedereen heet, daarna wil ze weten hoe ze op het idee voor de badkuiprace zijn gekomen.
'We zagen deze kabelbaan, en bedachten toen dat het nóg leuker is om over het water naar het eilandje te zwieren,' vertelt Cimberly.
'Maar we hebben geen geld,' zegt Youri, 'dus moesten we iets bedenken om geld mee te verdienen.'
'En Dirk had net een spreekbeurt gehouden over een Australische bierblikregatta,' legt Jantine uit.
'En het geld dat ze daar met die regatta verdienen, is voor goede doelen, zoals speeltuinen en vakanties voor gehandicapte kinderen,' zegt Dirk.
'En gisteren waren we bezig met affiches plakken en toen knalde er een vrachtwagen op een tankauto vol melk,' zucht Lisa. 'Toen werden we helemaal onder de melk gespoten.'
'Wat zeg je nu?' roept de mevrouw terwijl ze grote ogen opzet. 'Waren jullie dat? Maar dat is voorpaginanieuws!'

Ze pakt snel haar mobieltje uit haar tas en begint als een razende te bellen.
'Dag Charleen, met mij. Zeg, ik sta hier in het park met die kinderen van de badkuipregatta, en wat denk je? Het zijn dezelfde kinderen die gisteren onder de melk zijn bedolven! Ze waren bezig met affiches plakken toen het ongeluk gebeurde! Dus ruim alsjeblieft een mooi plekje op de voorpagina in, dan kom ik met spoed het verhaal brengen!'

Even later moeten Dirk en Lisa vertellen wat er een dag eerder allemaal precies gebeurd was.
'Hebben jullie nog zo'n affiche over?' vraagt de mevrouw van de krant.
'Ik kan er thuis een voor u afdrukken,' zegt Dirk.
'Ik heb er nog een in mijn tas,' zegt Youri. 'Die wilde ik eigenlijk naar het politiebureau brengen, maar ik kan hem ook aan u geven. Dan breng ik straks wel een andere naar het bureau.'
De mevrouw stopt het affiche tussen de volgeschreven blocnotevelletjes en neemt haastig afscheid.
'Wat gaan we nu doen?' vraagt Lisa.
'We moeten nog een plan bedenken voor een boot,' zegt Dirk.
'Ik ga eerst even met de kabelbaan,' zegt Youri. 'Ik ben helemaal zenuwachtig van dat interview en dat we morgenochtend op de voorpagina staan. Ik ga eerst even uitzwieren, dan gaan we straks vergaderen over die boot.'

Na Youri gaan de anderen ook even een ritje maken met de kabelbaan.
'Hij is wel echt megasuper,' zegt Cimberly.
'Zullen we doen dat iedereen die ermee geweest is een idee voor een boot moet geven?' stelt Jantine voor.
'Goed,' zegt Youri. 'Dan ga ik eerst, want ik voel dat er in mijn hoofd een idee aan het opkomen is.'
Youri trekt het zitje naar achteren, springt omhoog en laat zich met een vaartje naar beneden suizen.
'We bouwen een vlot van lege frisdrankflessen,' zegt Youri als hij aan het eind is.
Daarna is Lisa aan de beurt. Na haar zweeftochtje langs de kabel zegt ze: 'We gaan met een grote paardentrog varen. Op de manege hebben we een trog die minstens drie meter lang is, daar kunnen we makkelijk met zijn allen in.'
Als Cimberly aan de beurt is, haalt ze driemaal diep adem, springt op het zitje en suist naar het eind van de baan.
'We maken een vlot met allemaal kleine ventilatortjes erop, zodat we vanzelf vooruit gaan,' zegt ze als ze weer terug is.
'Dat lukt àlleen met heel grote ventilatoren,' zegt Dirk. 'En die werken op een benzinemotor, dus dat mag niet.'
'En een vlot met allemaal grote luchtballonnen eraan, zodat we vlak over het water suizen?' vraagt Cimberly.
'Dat mag wel,' zegt Dirk. 'Maar dan ga je automatisch met de windrichting mee. Je kunt dan niet om het eiland heen varen en dan weer terug.'
'Maar als de wind goed staat en hij draait als we halverwege

zijn opeens naar de andere kant, dan kan het wel,' houdt Cimberly vol.
'Zoiets gebeurt misschien eens in de vijfhonderd jaar,' zegt Dirk. 'Je moet wel een beetje realistisch blijven, Cim.'
'Nou, dan weet ik niets te bedenken,' zegt Cim teleurgesteld.
Jantine stapt op het zitje en zwiert langs de kabel naar het eind van de baan.
'Ik heb echt een fantastisch idee!' zegt ze. 'We gaan een vlot bouwen van allerlei soorten groenten en fruit, dat voortgetrokken wordt door vier opblaasbare krokodillen. Dan zitten jullie ieder met een peddel op een opblaaskrokodil en ik zit op een troon op het vlot.'

'Echt niet!' roept Lisa verontwaardigd.
'Echt wel, want ik heb het bedacht!' zegt Jantine.
'Maar een vlot van groenten en fruit blijft toch niet drijven?' zegt Dirk.
Jantine schudt haar hoofd en zegt: 'Ik heb laatst allemaal plastic fruit gezien en het lijkt net echt. Groenteverkopers gebruiken het om de etalage van hun winkel mee te versieren.'

'Het is inderdaad een fantastisch idee,' zegt Youri. 'Ik zie het helemaal voor me, Jantine: vier groene krokodillen die een vlot van rode appels, gele bananen en blauwe druiventrossen voorttrekken.'
'Jantine wil alleen maar een vegetarische prinses zijn,' moppert Lisa. 'En dan zijn wij haar onderdanen, want ze gaat natuurlijk keihard gillen: "Harder peddelen, Lisa, harder peddelen!"'
'Dat doet ze helemaal niet,' zegt Cimberly. 'Bovendien maak je je weer druk om niets, want Dirk moet ook nog een idee bedenken en misschien verzint hij nog iets veel beters.'

Dirk loopt naar het zitje van de kabelbaan, trekt het zo ver mogelijk naar het begin en gaat erop zitten. Hij zweeft naar het eind van de baan, maar als hij terugloopt, schudt hij zijn hoofd.
'Ik weet niks beters te bedenken,' zegt hij. 'Het idee van

Jantine is veel te goed. Zullen we morgen meteen beginnen? Ik heb een grote plastic opblaaskrokodil, een groengevlekte.'
'Ik heb er precies zo een als jij,' zegt Youri.
'Ik kan er waarschijnlijk wel eentje lenen,' zegt Cimberly.
'Haha,' roept Lisa. 'Ik heb er lekker geen, dus moeten we iets anders bedenken.'
'Niks hoor,' zegt Jantine triomfantelijk. 'Je mag die van mij wel lenen, Lisa. Als je tijdens de wedstrijd maar niet zo chagrijnig kijkt, want dan winnen we nooit iets.'
'Zullen we dierenmaskers opzetten?' stelt Youri voor. 'Zodat het net lijkt of we gorilla's of bavianen uit het tropische regenwoud zijn?'
'Omdat we dan het chagrijnige gezicht van Lisa niet kunnen zien?' vraagt Cimberly.
'Ik heb geen chagrijnig gezicht!' roept Lisa.
'Nu stoppen met ruziemaken,' zegt Dirk. 'Zullen we afspreken dat we morgen na school bij mij thuis verder vergaderen?'

7. Een vervelend bericht

De volgende dag is iedereen op tijd bij Dirk, maar niemand praat over het plan van Jantine.
'We staan inderdaad op de voorpagina,' roept Youri als hij de achtertuin inloopt. Ook Lisa komt aan met rode wangen van opwinding. Ze is de ruzie van gisteren vergeten en roept: 'We staan er heel mooi op, Dirk! Een foto van ons tweetjes, een foto van ons allemaal én een foto van ons affiche!'
Even later komt de moeder van Dirk de tuin in.
'Ik word gek van de telefoontjes,' zegt ze. 'Er hebben wel dertig mensen gebeld om te zeggen dat ze aan de regatta willen meedoen. En er is iemand die jullie dringend wil spreken. Hij vraagt of iemand van jullie naar het beheerderhuisje in het park wil komen. Er is iets dat hij even wil overleggen.'
'Dat is het huisje van de opzichter,' zegt Dirk. 'Dat is een heel aardige man.'
'Zullen we er meteen maar heen gaan?' stelt Youri voor. 'Dan vergaderen we wel als we weer terug zijn.'

De opzichter doet open, maar hij kijkt niet vrolijk als hij de vijf vrienden op zijn stoep ziet staan.
'Ik had gevraagd of er één wilde komen,' zegt hij. 'Niet alle vijf.'
'Maar we zíjn met zijn vijven, meneer,' zegt Youri.

De opzichter kijkt hem even fronsend aan.
'Ik vind jou een brutale aap,' zegt hij op norse toon. Youri is zo verbaasd, dat hij even niet weet wat hij moet zeggen.
'Hij doet toch helemaal niets brutaals, meneer,' zegt Cimberly. 'Hij zegt alleen dat we met zijn vijven zijn, meer niet.'
'Dat bepaal ik zelf wel,' zegt de opzichter terwijl hij Cimberly geïrriteerd aankijkt. 'En nog wat: die badkuiprace van jullie gaat niet door. Het wordt hier dan veel te druk en op het eilandje zitten zeldzame halsbandparkieten te broeden. Die raken door drukte en lawaai in paniek, het moet rustig blijven van de vogelbescherming.'
'Maar vorige week zei u nog dat er evenementen moesten komen!' roept Youri verontwaardigd. 'En dat het gemeentebestuur juist graag wil dat er meer mensen naar het park komen.'
'Dat heb ik niet gezegd,' zegt de opzichter.
'Dat hebt u wél gezegd, meneer,' zegt Cimberly. 'Ik stond er zelf bij en de anderen waren er ook.'

'Dat heb ik niet gezegd,' herhaalt de opzichter. 'En als ik het wél gezegd heb, dan heb ik het zo niet bedoeld. En nu wegwezen jullie, ik heb meer te doen dan naar domme vragen van een stel snotneuzen te luisteren.'
De opzichter smijt de deur met een klap dicht.

De vijf vrienden staan naast elkaar en kijken sprakeloos

naar de vlak voor hun neus dichtgesmeten deur.
'Wat moeten we nu doen?' vraagt Lisa na een tijdje met trillende stem. 'Moeten we alles nu opeens gaan afzeggen?'
'Daar ziet het wel naar uit,' zegt Jantine somber.
'Laten we eerst maar naar mijn huis gaan,' stelt Dirk voor. 'Misschien dat mijn moeder raad weet.'

'Jullie kunnen de badkuiprace toch ook in de ringvaart houden?' zegt de moeder van Dirk als ze het verhaal heeft gehoord.
'De ringvaart is lang zo leuk niet als het stadspark,' zegt Dirk mistroostig. 'Bovendien moeten we dan iedereen die wil meedoen opbellen en zeggen dat de wedstrijd is verplaatst. En er zijn al meer dan zestig deelnemers.'
'Meer dan zeventig,' zegt de moeder van Dirk. 'Want de brandweer heeft zojuist gebeld om te zeggen dat ze ook willen meedoen. Ze willen op een komische manier nieuw personeel werven.'
'Ik zou nog een affiche naar het politiebureau brengen,' zegt Youri. 'Dat ben ik helemaal vergeten.'
'Zullen we met zijn allen gaan?' vraagt Dirk. 'Dan gaan we daarna kijken welk stuk van de ringvaart het beste is om de wedstrijd te houden.'

8. Het vervalste affiche

Op het politiebureau is de agent die naar de moeder van Dirk heeft gebeld, niet aanwezig.
'Hij is er morgenochtend weer,' zegt een andere politieman. 'Willen jullie morgen terugkomen of kan ik jullie helpen?'
'Het gaat over onze badkuiprace,' legt Dirk uit. 'Wij zouden een affiche komen brengen voor op het prikbord.'
'Ja, ik weet ervan,' zegt de politieman. 'Jullie zijn toch die kinderen die in de krant staan? Geef dat affiche maar, dan hang ik het op. Ik heb al van een paar collega's gehoord dat ze willen meedoen.'
Youri geeft het affiche en zegt: 'De badkuiprace wordt niet in het park gehouden, want het mag niet van de vogelbescherming. We gaan nu naar de ringvaart om te kijken welk stuk het beste is.'
'De ringvaart?' De politieman kijkt Youri nadenkend aan en schudt vervolgens langzaam met zijn hoofd.
'Dat zou ik niet doen, als ik jullie was. In de ringvaart zijn de laatste dagen dode vissen en dode eenden gevonden. De zaak wordt onderzocht, maar er is vermoedelijk een blauwalgexplosie, net als twee jaar geleden. En dan mag je voorlopig niet meer in de ringvaart zwemmen.'
'Nee, hè,' kreunt Cimberly.
'Maar wat is er dan aan de hand dat jullie wedstrijd niet in het park gehouden mag worden?' vraagt de politieman.
'Het mag niet van de vogelbescherming,' zegt Jantine. 'De

opzichter zegt dat de halsbandparkieten aan het broeden zijn en die kunnen niet tegen lawaai.'
De politieman denkt even na en zegt: 'Het is nog niet zeker dat er blauwalg in de ringvaart zit. Misschien is het iets anders. Dat hoop ik tenminste, want ik vind dat jullie een heel leuk evenement hebben bedacht. Is dit jullie telefoonnummer?'
'Dat nummer is van mijn moeder,' zegt Dirk.
'Zodra ik nieuws heb over de ringvaart, bel ik,' belooft de agent.

'Wat moeten we nu doen?' vragen Lisa en Cimberly tegelijkertijd.
Dirk en Youri kijken somber en halen hun schouders op.
'Eerst broedende halsbandparkieten en dan weer een blauwalgexplosie,' mompelt Dirk.
'Misschien valt het mee,' zegt Jantine. 'Misschien is het helemaal geen blauwalg en kunnen we de wedstrijd in de ringvaart houden.'
'Wat als de halsbandparkieten volgende week klaar zijn met broeden?' zegt Lisa. 'Dan kunnen we toch alsnog in de parkvijver!'
'Ja, en als er een overstromingsramp komt, kunnen we hier op straat een regatta houden,' zegt Dirk nijdig.
'Dan gaan we een rondje om het plein peddelen,' lacht Youri. 'En wie het eerst bij de snoepwinkel is, mag onbeperkt drop en chocolade eten.'

Dirk zucht, maar Jantine geeft hem een klap op zijn schouder.
'We moeten gewoon doorgaan met de voorbereidingen,' zegt ze. 'Alles komt goed, ik voel het gewoon. We gaan het vlot bouwen, er is voor ieder al een opblaaskrokodil, dus we hebben alleen nog vier touwen en een vlot nodig. Heeft iemand al eens eerder een vlot gebouwd?'
'Vorig jaar was ik op vakantie bij het Meer van Genève,' zegt Youri. 'Daar hebben we op de camping met zijn allen een heel groot vlot gebouwd.'
'Waarvan bouwde je dat dan?' vraagt Jantine.
'Van oude autobanden,' zegt Youri. 'Daar stopten we plastic zakken vol wijnkurken in en dan knoopten we die banden met touwen aan elkaar.'
'Maar dat is toch heel slecht voor het milieu?' vraagt Jantine.
'Bij een vlot maken gaat het niet om het milieu,' zegt Youri. 'Het gaat erom dat je blijft drijven.'
'Maar ik ga echt niet op een vlot van oude autobanden en plastic zakken zitten,' zegt Jantine.
Youri haalt zijn schouders op.
'Wat doe je nou typisch!' zegt hij. 'Een opblaaskrokodil is toch ook van plastic?'
'Laten we naar de bibliotheek gaan,' zegt Dirk met een zucht. 'Daar is vast wel een boek over hoe je milieubewuste vlotten moet bouwen.'

De stadsbibliotheek is om de hoek van het Chasséplein. Als ze binnenkomen, wijst Cimberly naar het mededelingenbord.
'Daar hangt ons affiche,' zegt ze.
'Gaaf,' zegt Lisa. 'Ik ben telkens even trots als ik onze affiches ergens zie hangen, hebben jullie dat ook?'
Dirk begint te glimlachen en knikt naar Lisa: 'Nu ik ons mooie affiche zie hangen, geef ik Jantine gelijk: we moeten gewoon doorgaan met ons idee.'
'Ik heb een boek gevonden,' zegt Youri even later. 'Kijk, hier staat een tekening. Je moet een rek maken van een dubbele laag planken en daartussen moet je zwembanden of lege flessen stoppen. Dan heb je iets dat goed drijft. En rond dat rek maken we dan een ring van plastic appels en tomaten, zodat het er ook leuk uitziet.'
'Waar halen we dan de spullen?' vraagt Jantine.
'Zo'n houten rek staat bij ons in de garage,' zegt Dirk. 'Mijn vader en moeder hebben vorige maand een nieuwe afwasmachine gekocht, en die stond op een houten pallet. De chauffeur die hem bracht, zei dat hij hem nog een keer zou komen ophalen, maar hij is niet meer geweest.'
'Kun je er ook plastic speelgoeddolfijnen tussen stoppen?' vraagt Cimberly.
'Als het maar goed drijft,' zegt Youri. 'Stukken kurk drijven heel goed, maar lege plastic flessen drijven nog veel beter, als er tenminste een dop op zit. En speelgoeddolfijntjes moeten natuurlijk wel waterdicht zijn, want anders zinkt je

vlot als je erop gaat zitten.'
'Heb jij dan zoveel speelgoeddolfijnen?' vraagt Jantine.
'Ik heb er een gewonnen met een tekenwedstrijd van het reisbureau,' zegt Cimberly. 'Maar toen werden er honderd door de postbode bezorgd! Mijn moeder heeft gebeld en het was een computerfout, maar ze hoefden ze niet terug te hebben. Anders raakte de administratie nog verder in de war.'
'Hoe groot zijn die dolfijnen?' vraagt Jantine.
Cimberly spreidt haar armen tot ze niet verder kan.
'Dan moeten we ze zeker gebruiken,' zegt Jantine. 'En na afloop van de regatta kunnen we ze uitdelen aan de deelnemers, als cadeau.'
'Zullen we dan nu aan het werk gaan?' stelt Dirk een beetje ongeduldig voor.

Terwijl ze naar de uitgang lopen, kijkt Youri nog eens naar het affiche. Plotseling staat hij stil. Lisa botst tegen hem aan en zegt: 'Sufkop!' Maar Youri let er niet op. Hij loopt naar het prikbord en kijkt aandachtig naar de tekst. Dan zegt hij langzaam: 'Kom eens kijken Dirk, volgens mij heeft iemand het telefoonnummer veranderd.'
'Je hebt gelijk,' zegt Dirk verbaasd. 'Hoe kan dat nou, het is een heel ander nummer!'
Cimberly pakt het affiche van het prikbord en kijkt er heel aandachtig naar.
'Ik denk dat ik het weet,' zegt ze. 'Iemand heeft een ander

telefoonnummer op het affiche geplakt en daarna een kleurenkopie gemaakt. Dat kan hier in de bibliotheek, want ze hebben een heel goede kopieermachine. Mijn neef komt hier ook altijd om kopietjes te maken. De kwaliteit is van hoog niveau en het kost maar een paar cent per kopie.'
'Maar wie zou dit gedaan hebben?' vraagt Lisa.
'Zouden alle affiches die we hebben opgehangen, veranderd zijn?' vraagt Youri.

'Laten we even gaan kijken,' zegt Dirk. 'Er hangt er een hier om de hoek, in de Beaufortstraat.'

In de Beaufortstraat wordt meteen duidelijk dat er iets ernstigs aan de hand is.
'Iemand heeft over ons affiche heen geplakt,' roept Youri. 'Kijk maar, er is een dubbele rand aan de zijkant.'
'Het is dus geen flauwe grap,' zegt Dirk. 'Iemand probeert ons serieus te dwarsbomen.'
'Laten we naar de politie gaan,' zegt Youri. 'Ik schrijf het valse telefoonnummer over, dan geven we dat aan de agent.'

Op het politiebureau herkennen ze de agent die ze de eerste keer heeft geholpen meteen. Youri loopt naar hem toe en vertelt wat er met het affiche is gebeurd.
De agent kijkt ernaar en overlegt even met een oudere man, die vervolgens naar de vijf vrienden toe stapt en zich voorstelt.
'Jongens, ik ben rechercheur Verhoef,' zegt hij. 'Ik ga dit nummer bellen om uit te vinden wie er achter deze grap zit, maar ik wil eerst een paar dingen met jullie bepraten. Hebben jullie een vergunning om affiches te plakken?'
'Nee,' zegt Youri. 'Moet dat dan?'

'Eigenlijk wel,' zegt de rechercheur. 'We willen jullie geen bekeuring geven, maar we kunnen ook niet optreden tegen

personen die over jullie affiches heen plakken. Volgens de wet zijn jullie wildplakkers en is degene die over jullie affiches heen plakt ook een wildplakker. Dan kunnen wij niet de ene wildplakker wel een bekeuring geven en de andere niet, snappen jullie?'
'Maar kunt u dan niets doen?' vraagt Jantine.
'Ik ga dit telefoonnummer bellen,' zegt de rechercheur. 'Dan weten we in elk geval wie erachter zit.'

De rechercheur gaat aan een bureau zitten en pakt de telefoon. Terwijl hij belt, noteert hij dingen op een blocnote. Na een paar minuten is hij weer terug.
'Het is in elk geval geen leeftijdgenootje van jullie,' zegt hij. 'Ik kreeg iemand met een volwassen mannenstem aan de lijn. Hij zei dat hij Jansen heet en dat hij de organisator is van de stadsparkregatta, die volgende week zaterdag op de grote vijver van het stadspark gehouden wordt.'
'Op de vijver van het stadspark?' roepen alle vijf vrienden tegelijk. Daarna begint iedereen door elkaar te praten. 'Dat mag helemaal niet! De vogelbescherming heeft het verboden! De halsbandparkieten zitten te broeden en die mogen niet gestoord worden!'
De rechercheur snapt er eerst niets van. Nadat Youri het heeft uitgelegd knikt hij, maar meteen daarna schudt hij zijn hoofd.
'Hier klopt iets niet,' zegt hij. 'Ten eerste zijn halsbandparkieten geen beschermde vogels. Ten tweede zijn halsband-

parkieten helemaal niet bang voor lawaai. En ten derde is hun broedseizoen allang voorbij. Dat weet ik toevallig, want ik heb thuis een volière waarin ik halsbandparkieten kweek.'

Rechercheur Verhoef kijkt even nadenkend uit het raam.

'Gaan jullie gewoon verder met de voorbereidingen voor die badkuiprace,' zegt hij. 'Dan zorgen wij ervoor dat de rest in orde komt.'

'Kan de badkuiprace dan gewoon in het park worden gehouden?' vraagt Jantine.

Rechercheur Verhoef knikt.

'En die valse affiches?' vraagt Youri.

'Ik zou me daar maar niet druk om maken,' zegt de rechercheur.

9. Een vlot van groenten en fruit

De houten pallet staat inderdaad nog in de garage van de ouders van Dirk. De speelgoeddolfijnen passen er precies tussen: ze hoeven alleen maar een plank los te maken en weer vast te timmeren. De rest van het vlot is lastiger om te maken.
'Waar halen we plastic groenten en fruit vandaan?' vraagt Youri aan Jantine. Even is het stil.
'Je kunt het misschien in een winkel vragen,' zegt Youri. 'Bij de buurtsuper in de Beaufortstraat liggen namaakbananen en plastic druiventrossen in de etalage. Mijn broer werkt daar op zaterdagochtend, zal ik hem vragen hoe ze aan plastic fruit komen?'
'We kunnen beter zelf naar die winkel gaan,' zegt Jantine. 'Het is nu woensdag, als je broer pas op zaterdag kan vragen waar die dingen vandaan komen, kunnen we drie dagen niets doen.'
'We hebben toch nog een hele week de tijd,' zegt Lisa. 'Dat vlot is zo gemaakt.'
Jantine is het daar niet mee eens.
'We moeten het vlot nog schilderen. Misschien moeten we het plastic fruit ergens bestellen en wordt het opgestuurd. Dat kost allemaal tijd.'
'We moeten ook nog een draaiboek maken,' zegt Dirk. 'En we moeten de taken verdelen. We zijn namelijk ook de organisatie. Iemand van ons moet de deelnemers inschrijven,

iemand moet het startsein geven, het wedstrijdreglement moet worden uitgedeeld, er moet iemand bij de finish staan om te kijken wie het eerst aankomt, iemand moet de prijzen uitdelen, iemand moet opletten of iedereen zich aan de regels houdt, iemand ...'
'Jaja,' zegt Youri. 'Hou nu maar op, ik krijg er al hoofdpijn van als ik het hoor.'
'Maar dan kunnen we dus helemaal niet aan onze eigen wedstrijd meedoen,' merkt Lisa op. 'We hebben het veel te druk met andere dingen.'
Jantine schudt haar hoofd.
'We moeten het draaiboek zo maken dat we alles kunnen doen, met de wedstrijd erbij,' zegt ze, terwijl ze haar tas pakt. 'Ik ga naar de Beaufortstraat, gaan jullie mee?'

In de buurtsuper worden de vijf vrienden allerhartelijkst ontvangen.
'Jullie stonden in de krant,' zegt de kassamevrouw. 'Jullie gaan toch die badkuiprace houden? Hartstikke leuk hoor, mijn man gaat ook meedoen, samen met mijn oudste zoon. Ze zijn een Vikingschip aan het bouwen.'
'Wij zijn bezig met een vlot van groenten en fruit,' zegt Youri. 'Maar we weten niet waar we de plastic bananentrossen kunnen halen die hier in de etalage hangen. Weet u dat misschien?'
De vrouw schudt haar hoofd.
'Dat moet je aan de chef vragen,' zegt ze. 'Wacht maar, ik

roep hem wel even.'
De vrouw drukt op een knop en zegt in een microfoontje: 'Meneer Ballisch, kassa twee alstublieft.'

De chef kijkt eerst even verstoord, maar als hij hoort wat er aan de hand is, wordt hij vriendelijker.
'Dat plastic fruit komt uit het magazijn,' vertelt hij. 'Deze winkel hoort bij een supermarktketen, waar wel honderd andere winkels bij aangesloten zijn. Maar het plastic fruit is bedoeld voor in de etalage, ik kan het niet verkopen.'
Even is het stil.
'Wie verkoopt het dan wel?' vraagt Jantine ongerust.
De winkelchef schudt zijn hoofd.
'Voor zover ik weet is dit nergens te koop. Het is iets dat alleen winkels gebruiken, om hun etalages mee te versieren.'
Jantine moet nu even heel diep zuchten. Ze laat haar hoofd hangen en kijkt terneergeslagen naar de grond. Cimberly slaat haar arm om Jantine heen.
'Kijk niet zo pessimistisch,' zegt ze. 'Ik word er bijna chagrijnig van.'
'We kunnen toch dolfijnen gebruiken om het vlot mee te versieren?' zegt Lisa.
Jantine veegt iets uit haar ogen en haalt diep adem.
'Het gaat alweer,' zegt ze. 'Maar we hebben wel veel pech. Eerst mogen we niet in de parkvijver, dan mogen we niet in de ringvaart, dan vervalst iemand onze affiches en nu kan het plan voor ons vlot niet doorgaan omdat we geen plastic

fruit kunnen krijgen, dat is toch niet normaal meer.'
De chef van de buurtsuper strijkt nadenkend over zijn kin.
'Wacht eens even,' zegt hij langzaam. 'Ik bedenk opeens iets.'

Hij loopt met grote stappen naar de achterkant van de winkel en verdwijnt door een deur met een bordje waarop *Administratie* staat. Even later is hij weer terug.
'Het klopt tot op de dag nauwkeurig,' zegt hij lachend. 'Mijn plastic groenten en fruit zijn vandaag precies drie jaar oud en dan mag ik nieuwe bestellen. Dat ga ik meteen doen, en dan mogen jullie de oude meenemen.'
Jantine maakt een luchtsprong en klapt in haar handen.
'Dank u wel, meneer,' juicht ze.
'Dan hebben wij een leuk cadeau voor u,' zegt Youri met een vrolijk gezicht. 'U mag het startschot van de wedstrijd lossen!'
'Youri, doe niet zo stom,' sist Lisa. Ze kijkt angstig naar de chef van de buurtsuper. Maar die wordt helemaal niet boos om wat Youri voorstelt. Integendeel: hij kijkt juist heel vrolijk en zegt: 'Dat vind ik werkelijk een hele eer!'

10. De dag van de grote badkuiprace

Het is nog een heel werk om de plastic appels, peren, druiven en bananen aan de randen van het vlot vast te lijmen. En als het eindelijk klaar is, begint iedereen zich grote zorgen over de wedstrijd te maken.
'Nu maar hopen dat het klopt wat de rechercheur zegt,' zegt Dirk. 'Anders zijn we in de aap gelogeerd.'
'Hoe kun je nu in een aap logeren?' vraagt Youri.
'Dat is een uitdrukking,' zegt Jantine. 'Het betekent dat je heel erg in de problemen zit.'
Youri denkt even na terwijl hij een paar keer diep ademhaalt.
'Als de wedstrijd toch nog verboden wordt, zitten we inderdaad flink in de problemen,' zegt hij vervolgens.
Hij begint heen en weer te drentelen en schudt zijn hoofd.
'Ik krijg al de bibbers als ik erover nadenk,' zegt hij. 'Ik moet iets gaan doen, anders word ik nog zenuwachtiger dan ik nu al ben en zak ik misschien nog in elkaar van ellende.'
'We moeten deelnemerslijsten maken,' zegt Dirk. 'Mijn moeder heeft alle namen van de mensen die willen meedoen opgeschreven. Die namen moeten we in alfabetische volgorde onder elkaar zetten.'
'Maar de mensen die naar het valse telefoonnummer bellen, wat doen we daarmee?' vraagt Lisa. 'Mogen die gewoon met onze wedstrijd meedoen of niet?'

'De mensen kunnen er niets aan doen dat ze naar het valse nummer bellen,' zegt Jantine. 'Dus vind ik dat ze gewoon met ons mogen meedoen.'
'Maar we weten niet hoeveel het er zijn,' zegt Dirk, terwijl hij op zijn hoofd krabt en aan zijn oorlelletje trekt. 'Ik krijg nu ook de zenuwen,' zegt hij. 'Ik zal blij zijn als het zaterdagmiddag is.'
Jantine kijkt op haar horloge. 'Over zevenenveertig uur en twaalf minuten geeft meneer Ballisch het startschot,' zegt ze.
'Nog zevenenveertig uur,' kreunt Cimberly. 'Hoe kom ik daar ooit doorheen?'
'Kunnen we geen betoverde appel eten?' zegt Lisa. 'Zodat we in slaap vallen en pas wakker worden als de wedstrijd begint?'
'Nee,' zegt Dirk somber. 'Dat kan niet, Lisa, we moeten lijden.'

Die avond krijgt Dirk bijna ruzie met zijn moeder omdat hij op teletekst al meer dan een uur naar het weerbericht zit te kijken.
'Ik wil het nieuwe programma van Beau van Erven Dorens zien,' zegt Dirks moeder.
'Dat kan niet,' zegt Dirk. 'Ik moet het weerbericht in de gaten houden voor de wedstrijd.'
'Maar het wordt toch mooi zomerweer? Dat staat bovenaan op het scherm: veel zon, temperaturen tussen tweeëntwin-

tig en vijfentwintig graden en een zwakke zuidwestenwind. Mag ik dan nu de afstandbediening?'
Maar Dirk schudt zijn hoofd.
'Een weerbericht kan opeens veranderen,' zegt hij. 'Dus moet ik het in de gaten houden.'
'Het moet niet gekker worden met dat rare gedoe,' zegt Dirks moeder hierna boos. 'Geef de afstandbediening, en zo niet, dan ga je maar naar bed!'
Ook bij de anderen kruipen de minuten tergend langzaam voorbij. Alles lijkt vijf of zes keer langer te duren dan gewoonlijk. Af en toe bellen de vijf vrienden elkaar van narigheid op om te vragen of de anderen er ook zo'n last van hebben dat de tijd zo langzaam gaat. Maar uiteindelijk wordt het dan toch zaterdagmiddag ...

Om 12.00 uur heeft de vriendengroep bij de garage van Dirk afgesproken om gezamenlijk het vlot naar de vijver te brengen. Uiteraard is iedereen op tijd. Eerst controleren ze of iedereen een stuk touw, een peddel en een opblaaskrokodil bij zich heeft. Daarna laden ze het vlot op een kar die ze over de stoep naar het park trekken. Maar zodra ze bij de parkvijver aankomen, gaat alles opeens heel snel.

'Het is de opzichter,' zegt Youri op verontwaardigde toon, terwijl hij naar een man wijst die roodwitte linten tussen de bomen aan het spannen is. Dirk, Cimberly, Jantine en Lisa houden even de pas in.

'De opzichter heeft onze affiches vervalst,' zegt Youri. 'Kijk maar, hij is bezig een afzetting te maken voor het publiek!'
'Dat zegt niets,' zegt Dirk. 'Misschien doet hij dit in opdracht van iemand.'
'Wat moeten we nu doen?' vraagt Lisa. 'Hij herkent ons natuurlijk meteen. Zullen we teruggaan en wachten tot de politie er is?'
'Volgens mij kunnen we het best gewoon doorlopen,' zegt Dirk. 'En dan zien we vanzelf wel wat er gebeurt.'

Als de opzichter de vijf vrienden ziet aankomen, houdt hij meteen op met linten spannen. Hij stopt zijn handen in zijn zakken en zegt op barse toon: 'Wat komen jullie hier doen, jongens?'
'Wij komen voor de badkuiprace,' antwoordt Dirk.
'Dan zijn jullie een uur te vroeg,' zegt de opzichter terwijl hij op zijn horloge wijst. 'De inschrijving start om één uur, kom dan maar terug.'
'Maar we komen niet voor de inschrijving, meneer,' zegt Dirk. 'Wij organiseren de wedstrijd, we komen om de start en de finish in orde te maken en om een tafel neer te zetten waar de deelnemers zich kunnen inschrijven.'
De opzichter kijkt nu niet boos meer, maar begint woedend te schreeuwen en met zijn armen te zwaaien.
'Jullie organiseren helemaal niks, horen jullie dat!' schreeuwt hij. 'Jullie maken dat jullie wegkomen, anders zullen jullie nog wat beleven. Opgehoepeld met dat vlot,

vooruit, wegwezen, ga uit mijn park!'
Dirk blijft staan, maar de anderen doen voor de zekerheid toch maar een stapje achteruit.
'Dirk, pas op, want aan zijn gezicht te zien is die vent levensgevaarlijk,' fluistert Youri.
De opzichter heeft van boosheid een vuurrood hoofd gekregen en kijkt met vonkende ogen naar Dirk. Die vindt het nu toch wijzer om maar een stapje terug te doen.
'Zullen we ons ergens verstoppen en wachten tot de politie er is?' vraagt hij zachtjes aan Youri.
Youri kijkt naar de uitgang van het park.
'Daar komt het busje van de watersportwinkel,' zegt hij. 'Die komen om hun kraam op te zetten. Wat moeten we nu doen?'
'Laten we even achter de struiken gaan staan en afwachten wat er gebeurt,' stelt Jantine voor. 'Als ze worden weggestuurd, komen we tevoorschijn en gaan we uitleggen wat er aan de hand is.'
Het busje van watersportwinkel Beau Rivage rijdt langzaam naar de rand van de parkvijver. De vijf vrienden hadden verwacht dat de opzichter het busje terug zou sturen, maar dat doet hij niet. Hij is juist allerhartelijkst en zegt tegen de chauffeur: 'Ja, de kinderen hebben weer eens op het laatste moment afgehaakt. Ze gingen met dit mooie weer liever naar het strand, zeiden ze. Toen heb ik het werk maar op mij genomen, anders komen al die mensen voor niks. Nou ja, het zijn nu eenmaal kinderen, vandaag willen ze dit, en

morgen willen ze weer iets heel anders.'
'Maar het gaat toch wel door allemaal?' vraagt de chauffeur van het busje.
'Jazeker,' zegt de opzichter. 'Er zijn meer dan dertig aanmeldingen en het weer is prachtig, dus ik verwacht veel publiek.'
'Wat een gemene boef,' zegt Lisa zacht. 'Horen jullie dat, hij zegt gewoon dat wij er zomaar mee gestopt zijn.'
'Hij heeft dertig aanmeldingen,' zegt Dirk. 'En wij hebben er bijna zeventig, dus dat betekent dat er bijna honderd mensen meedoen.'
'Dan hebben we precies genoeg dolfijnen om cadeau te geven,' zegt Cimberly.

Terwijl de chauffeur en zijn hulp samen de kraam opbouwen, komen er over het pad mensen aan lopen.
'Die zijn van de krant,' zegt Lisa. 'Ze gaan vast vragen stellen aan die valse opzichter en dan gaat hij antwoorden dat wij een stel luie donders zijn. Wedden dat hij dat gaat zeggen, wedden?'
Over het pad komen langzamerhand steeds meer mensen aan lopen. Dirk ziet vier mannen met een Vikingschip en daarachter twee meisjes met een badkuip die versierd is met allemaal lampjes die aan- en uitgaan en waarop met knalrode letters *Disco Jimmy* is geschilderd. Achter de meisjes komt een groepje jongens aan met een vlot waarop een versierde kerstboom staat.

'Zullen we weer naar de vijver gaan?' stelt Jantine voor. 'Hij kan ons nu niet meer aanvallen, met al die mensen erbij.'
'Wedden dat hij het geld dat voor ons is, in zijn eigen zak steekt?' zegt Youri, terwijl hij naar de parkwachter kijkt.
De chauffeur van de watersportwinkel telt een paar bankbiljetten uit en geeft die aan de opzichter. Die steekt het geld inderdaad in zijn binnenzak en zet een handtekening op een vel papier.
'Wat een gemene dief,' zegt Youri. 'Dat sponsorgeld heb ik ... ' Youri maakt zijn zin niet af en kijkt geschrokken opzij.
In de struiken naast hem klinkt luid geritsel en bewegen takken wild heen en weer. Even later komt een bekend gezicht uit de struiken tevoorschijn.
'Het is meneer Verhoef van de politie!' roept Jantine opgewonden.
Rechercheur Verhoef glimlacht even, maar kijkt meteen daarna weer ernstig. Hij knikt naar Youri en vraagt: 'Jij hebt met watersportwinkel Beau Rivage iets afgesproken over sponsorgeld, klopt dat?'
'Alle deelnemers krijgen een wedstrijdshirt cadeau en wij krijgen vijftig euro voor de organisatie,' zegt Youri.
'Dan hebben we de boef te pakken,' zegt de rechercheur. 'Want hij was zo dom om zijn handtekening te zetten. Lopen jullie mee, dan gaan we de boel even rechtzetten.'

Als rechercheur Verhoef en de vriendengroep naar de vijver lopen, is de opzichter nog altijd druk aan het praten met de

journalisten van de krant.
'Tja,' zegt hij, 'toen ik begreep dat die kinderen er geen zin meer in hadden, heb ik het verder maar op mij genomen. Het is wel veel werk, maar ik ben nu eenmaal verantwoordelijk voor dit park.'
'Pardon meneer, maar ik moet u hier even in de rede vallen,' zegt rechercheur Verhoef.
Als de opzichter omkijkt en de vijf kinderen ziet, schrikt hij even, maar dat duurt niet lang.
'Kijk eens aan, zijn jullie toch nog gekomen?' zegt hij spottend. 'Wat dachten jullie? Het werk is gedaan, laten we toch maar naar het park gaan?'
'We waren hier al om twaalf uur!' roept Youri woedend.
'Maar u hebt ons weggejaagd en gedreigd dat u ons een pak slaag zou geven!'
'En u hebt ook onze affiches vervalst!' gilt Jantine.
De opzichter blijft glimlachen en schudt langzaam met zijn hoofd.
'Jongens, waarom geven jullie niet gewoon toe dat jullie het niet meer zagen zitten? Jullie hebben mij al het werk laten doen, en als het klaar is, komen jullie met je opa om over mij te klagen, dat is toch geen stijl?'
'Ik ben hun opa niet,' zegt meneer Verhoef. Hij haalt een identiteitskaart uit zijn binnenzak.
'Ik ben Verhoef, van de plaatselijke recherche. En u staat onder arrest wegens oplichting, komt u maar mee naar het politiebureau.'

Nu wordt de opzichter opeens heel bleek. Hij doet zijn mond open en dicht, maar hij kan van schrik geen woord meer uitbrengen.
'Ik ... ik ...' stamelt hij.
'Ik dacht al dat er iets niet klopte,' zegt de chauffeur van het busje van de watersportwinkel. De journalist van het Stadsblad knikt naar Dirk.
'Ik denk dat jullie opnieuw voorpaginanieuws zijn,' zegt hij.

Een uur later lost meneer Ballisch het startschot. Er zijn bijna honderd deelnemers en het ene bootje is nog leuker en gekker dan het andere. Het publiek juicht en klapt en

iedereen vindt het vlot dat Jantine heeft bedacht, het origineelste. Helaas is het vlot niet zo snel en gaan de geldprijzen naar andere vaartuigjes. Het Vikingschip wordt eerste, maar als de bemanning de geldprijs krijgt, geven ze hun prijs meteen weer terug aan de organisatoren.
'Gebruik het maar voor jullie kabelbaan,' zeggen de vier bemanningsleden lachend. 'Wij vinden onze foto in de krant beloning genoeg.'

De volgende dag staat het verhaal over de opzichter inderdaad op de voorpagina. En een maand later staan de vijf vrienden opnieuw in de krant. Dit keer staat er boven het artikel: *Nieuwe superkabelbaan feestelijk in gebruik genomen!*

Als de verlegen Edmée uit de klas van meester Banderanayke op pagina 40 in de krant het artikel over de badkuiprace leest, valt ze vast van verbazing van haar stoel. Maar is Edmée wel zo verlegen? Daarover kun je meer lezen in 'Mijn eerste zoen'.

In deze serie zijn de volgende Bikkels verschenen:

De badkuiprace
Mijn eerste zoen
Trek je eigen plan
Ren voor je leven!
De ziener zonder ogen
Ontdekking op Cyprus
Spotlight, ons meidenblad
Vleugels voor Vera

LEESNIVEAU

		ME	ME	ME	ME	ME	
AVI	S	3	4	5	6	7	P
CLIB	S	3	4	5	6	7	8	P

vaarwedstrijd

Toegekend door Cito i.s.m. KPC Groep

1e druk 2008

ISBN 978.90.276.7480.7
NUR 282

Illustraties: Yolanda Eveleens
Vormgeving: Rob Galema
Uitgeverij Zwijsen B.V., Tilburg

Voor België:
Zwijsen-Infoboek, Meerhout
D/2008/1919/136

KASSA